# Clár

Na Rannta

**Tiomnú:**

Tadhg –

*I gcuimhne ar mo Mhamó, Annie Fitzmaurice N.T. (1896 – 1982)
a mhúin na rannta seo ar feadh na mblianta sa scoil náisiúnta,
Achadh Mór, Co. Mhaigh Eo.*

John –

*Do mo mháthair, Nora Ryan N.T. a mhúin iad i
Scoil Náisiúnta Chaisleán Uí Dhálaigh, Móta, Co. na hIarmhí.*

# gugalaí gug!

# Cé Mhéad Méar?

Méar mhór fhada thú,
Rug tú leat an bua;
Ard do cheann leis an gcrann,
Méar mhór fhada thú.

Méar méar thosaigh teann,
Ordóg láidir liom,
Ar an lámh chlé, iad sin go léir,
Sin é an méid atá ann.

A ladhraicín, a ladhraicín, a mhic,
A ladhraicín, a ladhraicín, a mhic, a glic,
Crom mór ach lag go leor,
Níl tú mór ach lag go mhic.
A ladhraicín, a ladhraicín,

Cormheár lena thaobh,
Cormheár lena chraobh,
Rug tú leat ort a stór,
Fáinne óir lena thaobh.
Cormheár lena thaobh.

Cé mhéad méar?
Iad go léir; A haon,
a dó, a trí, a ceathair,
a cúig.

A haon, a dó, a trí,
a ceathair, a cúig,
Inseoidh mé
duit siúd.
Cé mhéad méar?
Iad go léir; A haon,
a dó, a trí, a ceathair,
a cúig.

6

# Nach Deas
# an Scéilín é?

Bhain mé spreaibín
Is ba dheas an spreaibín é

Bhí neaidín sa spreaibín
Is ba dheas an neaidín í

Bhí uibhín sa neaidín
Is ba dheas an uibhín í

Bhí éinín san uibhín
Is ba dheas an t-éinín é

Bhí drioball ar an éinín
Chomh fada le mo mhéirín
Sin é deireadh an scéilín
Is nach deas an scéilín é.

# Slubar, slabar, slubar

Slubar,
  slabar,
    slubar
Puisín bocht sa tobar!
Cé a chuir isteach é?
Seáinín Cogar Mogar!
Cé a thóg amach é?
Séimín beag ar sodar!
Nach dána an buachaill
É Seáinín
      Cogar
        Mogar?

*Gugalaí gug, cá ndéanfaidh mé nead?*
Má dhéanaim sa gcladach í,
Gheobhaidh na lachain í.
*Gugalaí gug, cá ndéanfaidh mé nead?*

*Gugalaí gug, cá ndéanfaidh mé nead?*
Má dhéanaim sa gclochar í,
Gheobhaidh na luchain í.
*Gugalaí gug, cá ndéanfaidh mé nead?*

*Gugalaí gug, cá ndéanfaidh mé nead?*
Má dhéanaim sa gclaí í,
Gheobhaidh na gadhair í.
*Gugalaí gug, cá ndéanfaidh mé nead?*

Má dhéanaim sa gclaí í,
gheobhaidh na gadhair í.
Má dhéanaim sa gclochar í,
gheobhaidh na luchain í.
Má dhéanaim sa gcladach í,
gheobhaidh na lachain í.
*Cá ndéanfaidh mé nead?*

**Gugalaí Gug**

9

**P**réachán, **préachán**
ar
an
gcrann

**N**uair a d'imigh sé as

Ní
raibh
sé
ann.

Cén sort lá a bhí ann *Dé Luain* **?**

**Má** bhí sé **garbh**

Ní
raibh sé
ciúin.

10

# Froganna

Froganna beaga glasa,
Froganna beaga buí,
Froganna beaga glasa,
Is a Mamaí ina suí.

Daidí frog ina sheasamh,
Is maide ina láimh,
Ag múineadh do na froganna

Cén chaoi le snámh.

# An Ghaoth

an ghaoth aduaidh,
bíonn sí crua
is cuireann sí
fuacht ar dhaoine.

an ghaoth aneas,
bíonn sí tais
is cuireann sí
rath ar shíolta.

An ghaoth aniar,
Bíonn sí fial,
Is cuireann sí
iasc i líonta.

An ghaoth anoir,
Bíonn sí tirim
Is cuireann sí
olann ar chaoirigh.

W   E

13

# Máirtín

Bhí Máirtín amuigh
San oíche dhubh,
Bhí an bháisteach ag titim
Anuas go tiubh.

Ní shásódh an saol é
Go mbeadh sé amuigh,
Go ndeachaigh sé i lochán
Go básta!

Bhí Máirtín ar maidin
ag seoladh na mbó.

Ó chonaic mé féin é

Is
bheannaigh
mé
dó.

*Arsa Máirtín*

"nach deas
A bheith ag seoladh na mbó,

Ar maidin le héirí na gréine?"

# Haigh Didil Dum

Haigh didil dum,
an cat is a mháthair,

D'imigh go Gaillimh
ag marcaíocht ar bhardal

D'imigh go Gaillimh
ag marcaíocht ar bhardal

*Is haigh didil didil dó,
haigh didil dum.*

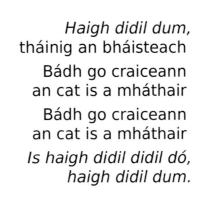

Haigh didil dum,
tháinig an bháisteach

Bádh go craiceann
an cat is a mháthair

Bádh go craiceann
an cat is a mháthair

*Is haigh didil didil dó,
haigh didil dum.*

# Cé a Déarfadh Naoi nUaire é?

Cearc Uisce san uisce ag slubáil is ag slabáil

Cé a déarfadh naoi n-uaire é gan anáil a tharraingt?

1    2    3    4    5    6    7    8    9

# An Caipín

Bhí caipín agamsa
   den veilbhit bán
Ribín, síoda
   is cleití ann
Níor chaith mé riamh é
   ach oíche Michíl
Ag gabháil chuig an gcéilí
   i Ros an Mhíl

Ag gabháil dom aniar
   Ó Aill na Graí
Siúd í an chuaifeach
   anoir i m'aghaidh
Sciob sí an caipín
   de mo cheann
Síoga bradacha
   Bhó Bhrocháin!

Ólann mise bainne agus
itheann mise arán
Súimse cois tine agus
déanaim crónán.

Éirímse san oíche
nó ar maidin go moch
Siúlaim go ciúin
agus beirim ar luch.

Bímse sa ngarraí
i mo chodladh faoin ngréin
Súile ar oscailt,
ag faire ar éan.

## Ólann Mise Bainne

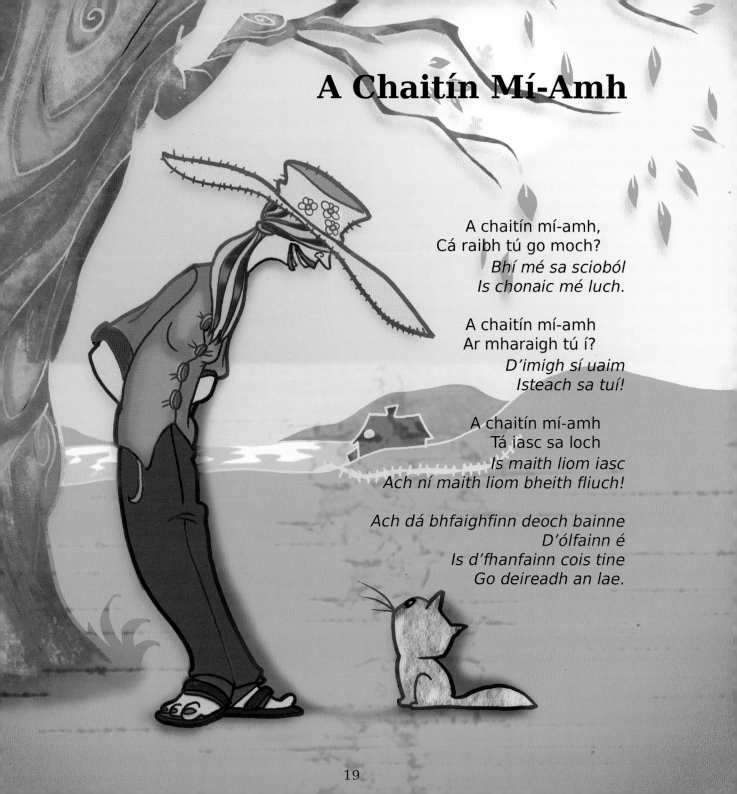

# A Chaitín Mí-Amh

A chaitín mí-amh,
Cá raibh tú go moch?
*Bhí mé sa scioból*
*Is chonaic mé luch.*

A chaitín mí-amh
Ar mharaigh tú í?
*D'imigh sí uaim*
*Isteach sa tuí!*

A chaitín mí-amh
Tá iasc sa loch
*Is maith liom iasc*
*Ach ní maith liom bheith fliuch!*

Ach dá bhfaighfinn deoch bainne
*D'ólfainn é*
*Is d'fhanfainn cois tine*
*Go deireadh an lae.*

# Snag

**Snag** roimh bhrón,

**Péire** roimh shó,

**Trí cinn** – pósadh,

**Ceithre cinn** – mac óg,

**Cúig** a bhéarfas airgead,

**Sé cinn** ór,

**Seacht gcinn** – rún nach sceithfear go deo.

# Lúrabóg, Lárabóg

Lúrabóg, lárabóg
Buí Ó Néill
Néill an phíobáin,
Píobán súileach
Súileach seicneach
Seicne milleach
Corr na méarach
Feidhlim fiú, Feidhlim feá
Mac Uí Chatháin ar chúl an tsrutháin
Súistín Dúistín,
Buille beag dá shúistín
Crap isteach an phéacóg
An phéacóg bhuí!

# Thart le Cladaí

Thart le cladaí
a bhaintear maidí,

In aice baile
a bhaintear móin.

Ag na capaill
a bhíos na searraigh

Is ag na caoirigh
a bhíos na huain.

23

Láimhín mharbh,
mharbh,
mharbh,
Chuaigh siar go Conamara
Ag Iarraidh fear le stocaí geala
A bhuailfeadh tusa isteach
ar an bpus!

# An tAsailín Deas

Hóró, hóró, hóró,
hóró hach amach!

Níl asal in Éirinn
chomh láidir
le m'asalsa,
Hach-amach hóró,
an t-asailín deas!

Bímse is Máirín
In airde sa tsrathair air,
Hach-amach hóró,
an t-asailín deas!

Is socair a shodar
ag bogadh chun bóthair,
Hach-amach hóró, an t-asailín deas!

Is thabharfadh sé abhaile duit ualach breá móna,
Hach-amach hóró, an t-asailín deas!

Níl asal in Éirinn chomh láidir le m'asalsa
Hóró, hóró, hóró hach amach!

Hóró, hóró, hóró,
hóró hach amach!

25

# Tógfaidh mise Teaichín

Tógfaidh mise teaichín
Dom féin thíos sa ngleann
Ní bheidh sé beag bídeach
Is ní bheidh sé mór ard.

Beidh doras air is fuinneog,
Simléar beag amháin
Is tiuc-tiuc-tiuc mo chircín
Ag scríobadh ar an tsráid.

## Ní Maith liom Ubh!

Is maith liom bainne,
Is maith liom tae.
Is maith liom codladh
Go meán lae.

Is maith liom cáca
Is maith liom subh,
Is maith liom milseáin
Ach ní maith liom ubh.

Ólaim bainne,
Ólaim tae,
Ólaim cóco
I lár an lae.

Ithim fataí,
Ithim ubh, Ithim arán,
Le him agus subh.

27

# Tic Teaic Tiú

Tic Teaic Tiú,
Péire bróga nua;
Cuirfidh mise an tairne
Is cuirfidh tusa an crú.

# A Nóra Bheag

"*A Nóra bheag, cá raibh tú aréir?*"
Sé a dúirt mo mhamaí liomsa.
"I gcúl an tí ag tobar an uisce
Ag foghlaim coiscéim damhsa".

Is iomaí Nóra,
        Nóra,
        Nóra,
Is iomaí is tú mo ghrá geal;
Is iomaí Nóra, is tú mo stóirín,
        Táimse dúnta
        i ngrá leat.

"*Is a Nóra bheag, cá raibh tú aréir?*"
    'Bhí mé i gcúl an gharraí'.
'*Cé a bhí agat féin ansin?*'
    'An píobaire beag is a mhálaí'.

Is iomaí Nóra,
        Nóra,
        Nóra,
Is iomaí is tú mo ghrá geal;

Is iomaí Nóra, is tú mo stóirín,
        Táimse dúnta
        i ngrá leat.

# Tá Nead
# ag an Éinín

Tá nead ag an éinín
Thuas ar an gcrann

Nead bheag dheas
Agus uibheacha ann

Uibheacha, uibheacha
Tá cúig cinn ann

Sa nead ag an éinín
Thuas ar an gcrann.

# Murchadh Beag

Rug Murchadh beag ar dhá chéad portán
thíos ag bun na céibhe;

Rug na portáin ar a chosa
is thosaigh Murchadh ag screacháil

# Mo Bháidín

Dá mbeadh mo bháidín agamsa
Is mé ar mo chomhairle féin,
Rachainn ag baint an charraigín
Is á thriomú leis an ngréin.

Chuirfinn lucht go Gaillimh de
Is taoscán ar an traein.
D'íocfainn cíos le Robinson
Is bheadh brabach beag dom féin.

# Siúd í Siar
# mo Churaichín

Siúd í siar mo churaichín
Nach aici a bheas an geall
Rachaidh sí go Meiriceá
Is ar ais arís anall.

# An Seanchlog

Tic,
   Tac,
an gcluin tú mé?
   Is mise an clog,
   is seanchlog mé.

Buailim a haon is buailim a dó;
Ní chloiseann tú mé chomh luath sa ló.

Buailim a trí,
a ceathair is a cúig;
   Muintir an tí go fóill i suan.

Buailim a sé
is buailim a seacht;
   Éirigh a Róis, is réitigh an teach.

Buailim a hocht;
   tá an bricfeasta réidh.
   Súigí síos is ólaigí bhur gcuid tae.

Buailim a naoi go hard is go binn;
Bígí ag triall ar scoil le bhur linn.

Buailim a deich is a haon déag a chlog;
   Gach duine ag obair
   ag saothrú a chuid.

Buailim a dó dhéag
   ag meán lae;
   Fáilte an Aingil is abraigí é.

      Tic,
         Tac,
an gcluin tú mé?
   Is mise an clog,
   is seanchlog mé.

# A haon is a haon

A haon is a haon sin a dó
Tá cloigín ag Mamó

A haon is a dó sin a trí
I gcoirnéal thiar an tí

A haon is a trí sin a ceathair
Péire bróga leathair

A haon is a ceathair sin a cúig
Cúig chat sa gclúid

A haon, a dó, a trí, a ceathair, a cúig.

A haon is a cúig sin a sé
Arán, im is tae

A haon is a sé sin a seacht
Beidh mo Mhama ag teacht

A haon is a seacht sin a hocht
Beidh sí anseo anocht

A haon is a hocht sin a naoi
Nach againn a bheas an spraoi

A haon is a naoi sin a deich
Ba mhaith liom bainne te.

A haon, a dó, a trí, a ceathair, a cúig, a sé, a seacht, a hocht, a naoi is a deich.

## An Sneachta ag Titim

An sneachta ag titim Is an oíche fuar
Is máthair Dé gan teach ón bhfuacht

Isteach i stábla ón sneachta chuaigh
Is chuir sí Íosa sa mainséar crua

Bó agus asal sa stábla bhí
Ag faire an linbh ar feadh na hoíche

Chan na haingil thuas sa spéir
Moladh le hÍosa, ArdMhac Dé.

36

# Seó Shín Seó

Ó cé hé seo atá ina luí
Chomh sámh ag doras beag mo chroí?
Aniar, anoir, tig scáil na hoíche
Go luafar is go ciúin ó;

Seó shín seó,
hó-ó,
Lú lú ló,
hó.

Is é mo mhíle míle grá,
Mo chuid den tsaol is mo leanbh lách;
Nach aoibhinn é, m'anam ag fás,
Mo stóirín is mo rún ó?

Seó shín seó,
hó-ó-ó,
Lú lú ló,
hó.

Tuilleadh Eolais faoi na rannta agus roinnt pointí canúna/
Explanatory Notes on the rhymes and some points of dialect:

### Cé Mhéad Méar? –
A rhyme that lists the attributes of your five fingers –
little ladhraicín (pinkie); corrmhéar (ring finger);
méar fhada (middle finger); méar thosaigh (forefinger)
and ordóg (thumb).

### Nach Deas an Scéilín é? –
When a little girl goes digging the garden, she finds a
nest, an egg in the nest and a little bird in the egg.
*"Drioball"* an focal atá ag muintir Chonamara –
*"eireaball"* nó *"ruball"* atá in áiteacha eile.

### Slubar, Slabar, Slubar –
An Irish version of Pussy in the Well.

### Gugallaí Gug –
A nervous hen worries about the safest place to make
her nest.
*"Sa gcladach"*, *"sa gclochar"*, *"sa gclaí"* a deirtear
i nGaeilge Chonamara – *"sa chladach"*, *"sa chlochar"*,
*"sa chlaí"* an Caighdeán.

### Préachán, Préachán –
*"Crow, crow on the tree, when he left, he was no longer
there. What sort of day was it last Monday? – If it was
stormy, it wasn't calm!"*

### Froganna –
Baby frogs learn to swim, under the watchful eyes of
Mamaí and Daidí Frog.
*"Frogannaí"* a deirtear i gConamara - *"froganna"* an
Caighdeán.

### An Ghaoth –
*"The north wind is tough and makes people cold.
The south wind, damp – she makes the seeds grow.
The west wind is generous – she fills the fisherman's
nets. The east wind is dry – she makes wool grow on
sheep"*

### Máirtín –
What's Máirtín up to? Last night he was out in the black,
wet night, getting soaked to the skin. Today, he's up at
the crack of dawn, herding his cows.
*"Bheannaigh mé dhó"* a deirtear, *"Bheannaigh mé
dó"* an Caighdeán.

### Haigh Didil Dum –
The cat and his mother went riding to Galway on a
gander's back. Unfortunately, it started to rain...

### Cé a Déarfadh Naoi nUaire É? -
A tongue twister, with an added twist – you have to try
saying it nine times, without drawing a breath.

### An Caipín –
An unfortunate céilí dance enthusiast gets his beautiful
feathered cap stolen by the thieving fairies of Bó
Bhrocháin.
*"A'amsa"* a deir muintir Chonamara, in ionad
*"agamsa"*. *"Ag goil"* a deirtear, ach *"ag gabháil"* a
scríobhtar.

### Ólann Mise Bainne –
A little cat tells us about his favourite food and how he
enjoys hunting for mice and birds.
*"Faoin ngréin"* = *"faoin ngrian"*.
Tá an seanleagan seo den tuiseal tabharthach fós le
cloisteáil i ngnáthchaint Chonamara.

### A Chaitín Mí-Amh –
This little kitten would love a fish dinner, but she
doesn't fancy the thought of having to catch it in the
wet, wet lake.

### Snag –
An Irish version of *"One for Sorrow, Two for Joy"*.

### Lúrabóg, Lárabóg –
An untranslateable rhyme, once very common all over
Gaelic-speaking Ireland and Scotland. It was used in
games to pick (or exclude) a contestant, in the same
way as *"Eeanie Meanie Miney Moh"* in English.

### Thart le Cladaí –
*"Sticks are found on the shore, turf is found nearer
home. Horses bear foals and sheep bear lambs"*
*"Ag na capaill a bhíonns na searraigh"* a deirtear,
*"a bhíos"* nó *"a bhíonn"* a scríobhtar.

### Láimhín Mharbh –
*"Dead hand, dead hand, went back to Conamara, looking
for a man with clean socks to hit you in the face"*
A game like *"Give me Five"* – the object is to dodge your
opponent's hand as he tries to hit you in the face, when
he comes to the end of the rhyme.

### An tAsailín Deas –
A rhyme in praise of the strongest donkey in Ireland.
You can ride on his back, as he smoothly trots along.
He's also very good for bringing a big load of turf home
from the bog.

**Tógfaidh Mise Teaichín –**
*"I'll build a house, down in the glen. It won't be too big or too small. With a window, a door and one little chimney and the "chuck chuck chuck" of my little hen, scratching in the yard".*

**Tá Nead ag an Éinín –**
This little bird has a lovely little nest, with no fewer than five eggs inside.

**Tic Teaic Tiú –**
A shoemaker asks for help to make a pair of shoes *"I'll make the nail, you make the heel-plate".*

**A Nóra Bheag –**
Little Nóra loves dancing, especially when the little piper is playing – at the well, in the back field, anywhere!

**Ní Maith Liom Ubh! –**
Two versions of a well-known rhyme about things that are good to eat.
*"Íosaim fataí, íosaim ubh"* a deirtear in áiteacha i gConamara – *"Ithim fataí, ithim ubh"* a deirtear in áiteacha eile. *"Ithim"* an Caighdeán

**Murchadh Beag –**
Poor little Murchadh thought he was doing well, catching two hundred crabs – until the crabs started nipping his toes.

**Mo Bháidín –**
*"If I had a boat, I'd go gathering carrageen moss and dry it in the sun. I'd sell it in Galway, pay the rent and have a little profit for myself".*
*"A'amsa"* atá anseo, in ionad *"agamsa"*. *"Chuirfinn lucht go Gaillimh dhe"* agus *"Bheadh brabach beag dhom féin"* a deirtear – *"de"* agus *"dom"* a scríobhtar.

**Siúd í Siar mo Churaichín –**
*"There goes my little currach, she'll have a great race. She'll go over to America and all the way back again".*

**An Seanchlog –**
An old clock works 24/7 – ticking all night while the household sleeps, so they know when it's time to go to school and do their day's work.
*"Suígí síos is ólaí a gcuid tae"* a deirtear – *"ólaigí bhur gcuid tae"* an Caighdeán. *"Fáilte an Aingil is abraí é"* a deirtear – *"abraigí é"* an Caighdeán.

**A hAon is a hAon –**
A fun way to learn your addition tables – *"One and one is two..."*
*"Chúig chat sa gclúid"* atá sa chanúint – *"cuíg chat"* an Caighdeán.

**An Sneachta ag Titim –**
A Nativity poem about Mary's search for a warm place to stay, on the snowy night her special baby was born.
*"Ar feadh na hoích'"* a deirtear cuid mhaith sa ghnáthchaint i gConamara. Cloistear go minic sna hamhráin agus sna rannta chomh maith é. *"Ar feadh na hoíche"* an leagan caighdeánach.

**Seó Shín Seó –**
*"Who is that who lies, so snug at the door of my heart"* – a tender lullaby.

If you enjoyed Gugalaí Gug!, why not try these other CD/books from Futa Fata!

### Peigín Leitir Móir
Tadhg Mac Dhonnagáin and John Ryan
Illustrated by Cartoon Saloon

The eagerly awaited follow-up to Gugalaí Gug! also features performances from three generations of singers and rhymers from the Conamara tradition, with a full colour book, including background information on the songs and rhymes.

### Eileanór an Eilifint Éagsúil
a book and CD by Eric Drachman, illustrated by James Mauscarello, Irish adaptation by Tadhg Mac Dhonnagáin

Eileanór the little elephant wants to make music with her trunk, like all the other elephants in the herd. But all she can do is squeak! And if that's not bad enough, a cranky weasel is bossing her around! Will she find her own voice and be accepted by her elephant herd?

### Frog sa Spéir
a book and CD by Eric Drachman, illustrated by James Mauscarello, Irish adaptation by Tadhg Mac Dhonnagáin

Frainc is no ordinary frog. Being a great swimmer isn't enough for him – he wants to fly high in the sky! Mom and Dad tell him that frogs can fly – but that doesn't stop Frank trying! Will he soar above the clouds? And if he does, how will he ever take his rightful place in the pond?

Translations and further background notes on all the rhymes and songs in this book are available on our website, **www.futafata.com**